Idzie... ciemną ...ocą

EWA SZELBURG-ZAREMBINA

IDZIE NIEBO CIEMNĄ NOCĄ

Wydawnictwo Zielona Sowa
Kraków

Ilustracje i projekt okładki:
Paweł Kołodziejski

Opracowanie graficzne:
Anna Olek
Jolanta Szczurek

Redakcja:
Edyta Wygonik

ISBN 83-7389-350-4

Wydawnictwo Zielona Sowa Sp. z o.o.
30-415 Kraków, ul. Wadowicka 8 A
tel./fax (012) 266-62-94, tel. (012) 266-62-92,
(012) 266-67-56, (012) 266-67-98
www.zielonasowa.pl
wydawnictwo@zielonasowa.pl

Początek jak w baśni, a przecież wszystko prawdziwe:

Za lasami, za wzgórzami, wąwozami była sobie raz dziewczynka w małym domku, u ojca i matki, szczęśliwa.

Czasem myślała, że mogłaby być jeszcze szczęśliwsza, gdyby miała siostrzyczkę lub brata.

Jej oswojona wiewiórka, zadomowiony jeż, myszka umiejąca stać na tylnych łapkach, obłaskawione dzikie ptaki, ulubione psy, nawet lisek uratowany z sideł, który potem jadał z ręki — nikt a nikt nie mógł zastąpić dziewczynce rodzeństwa.

Więc rysowała sobie i wycinała gromady dzieci — lalek z papieru. Układała o nich króciutkie wierszyki-bajeczki, bajeczki-piosneczki.

Wtedy ojciec nauczył dziewczynkę „Wielkiej Sztuki Pisania", a matka zaczęła zapraszać do domu sąsiedzkie dzieci: Zbyszka, Zosię, Tadzika, później i Marylkę, a potem — jeszcze inne. Wszystkie te dzieci razem zaczęły wydawać własne dziecinne pisemko. Nazwały je „Sami Sobie". Bo też tak było: same układały wiersze i powiastki, pięknie je kaligrafując. Same ilustrowały kolorowymi kredkami i wodnymi farbami. Same je sobie czytały.

Trochę tych wierszyków pisanych przez tamtą dziewczynkę znajdziecie i w tej oto książce.

...Które to są? Zgadnijcie!

Tymczasem, jak w baśniach bywa, mijały lata, dziewczynka rosła, a gdy dorosła, została nauczycielką. Wtedy otoczyły ją dzieci od niej młodsze, którym też trzeba było śpiewać piosenki, mówić wiersze, opowiadać ciekawe, wesołe historie.

Niektóre z tych wesołych historyjek znalazły się i w tej książce. Może je odnajdziecie? Poszukajcie.

Czas mijał dalej. Lata płynęły. Jak w baśni. Młoda nauczycielka stała się... pisarką. Od tej chwili pisała książki dla wszystkich, wszystkich dzieci. Pisała dla Waszych rodziców, gdy byli jeszcze dziećmi, i pisze dla Was. Zawsze z nową radością.

Dlaczego? Jak myślicie?

...Dlatego, że Was, dzieci, kocham, że chcę moimi baśniami, wierszami, wesołymi historiami cieszyć, pokazując Wam we wszystkich moich książkach świat bliski i daleki pięknym i dobrym.

Teraz już chyba zgadliście, mili moi Czytelnicy, że tą dawną dziewczynką, a obecnie Waszą pisarką jestem ja:

Ewa Szelburg-Zarembina

Tą książką „Idzie niebo ciemną nocą" pozdrawiam Was serdecznie, najmłodsi moi Braciszkowie, najmłodsze moje Siostrzyczki!

SREBRNY DESZCZYK

Marzec siadł u płotu...

Marzec siadł u płotu,
czeka na wiosenkę,
a deszcz drobny prószy.
...Zmoczył mu sukienkę.

Wiosna idzie!

Przyleciały skowroneczki
z radosną nowiną,
zaśpiewały, zawołały
ponad oziminą:
— Idzie wiosna! Wiosna idzie!
śniegi w polu giną!

Przyleciały bocianiska
w bielutkich kapotach,
klekotały, ogłaszały
na wysokich płotach:
— Idzie wiosna! Wiosna idzie!
po łąkowych błotach!

Przyleciały jaskółeczki
kołem kołujące,

figlowały, świergotały
radośnie krzyczące:
— Idzie wiosna! Wiosna idzie!
prowadzi ją słońce.

Srebrny deszczyk

Srebrny deszczyk
rosi, rosi
ciepluchno,
pozwól boso
biegać Zosi,
matuchno!

Złote słonko
świeci, świeci
w deszczyku,
już nie kładą
dzisiaj dzieci
bucików.

Młoda trawka
miękka, miękka
pod nóżką.
Przyszła do nas
dziś wiosenka
tą dróżką.

Dróżka w kwiatach
i w rosach,
i w rosach.

Słońce z rosą
masz, córuchno,
we włosach!

To ty jesteś
moją wiosną,
dziecino,
tą najmilszą,
najpiękniejszą,
matczyną!

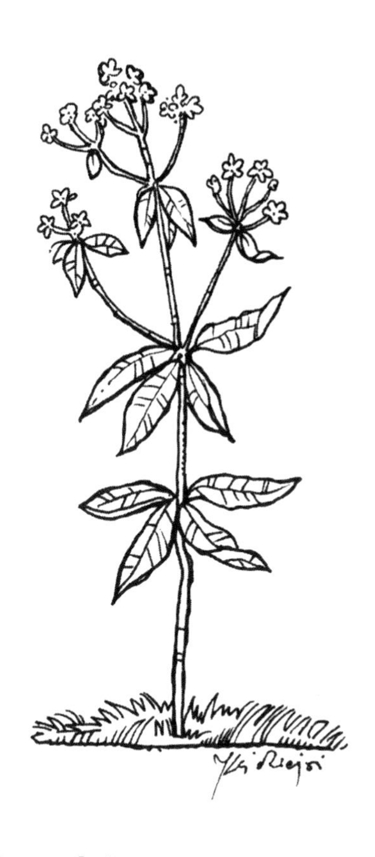

Na zielonej trawie

Na zielonej trawie
pasie Kwiecień pawie,
a jasne Słoneczko
pomaga łaskawie.

Kwietniu, miejsce daj!

Kwietniu, miejsce daj,
idzie miesiąc Maj.
Ulinił fujarkę —
dmucha.
Calusieńki świat
go słucha:
Grajże, Maju!
Graj!

Z górki na pazurki

Oj, na niebo wyszły chmurki
Z górki, dzieci, na pazurki,
bo nuż deszczyk ten majowy
kapu-kapu-kap, na głowy?
Z górki, z górki na pazurki!
No, kto prędzej?
My, czy chmurki?

Uparty ślimak

Piotruś
Ślimak, ślimak, wystaw rogi!
Dam ci sera na pierogi.
Dam ci i na naleśniki,
tylko nie bądź taki dziki.

Ślimak
Chodzę... chodzę na jednej nodze...
Nie stój, Piotrusiu, na mojej drodze...

Piotruś
Ślimak, ślimak, pokaż rogi!
Poniosę cię na pół drogi.
Dam sałatki, dam ci trawy...

Ślimak
Chodzę... chodzę na jednej nodze...

Piotruś
Et! Upartyś i niemrawy.

Ptaszki

Mama ptaszka, tata ptak
wiją gniazdko tak i siak.
Znoszą piórka, włosie, mchy.
— Ja zdobyłem to, a ty?
— Ja to niosę, a ty co?
— Trawka! Nitka! Puch! Ho! Ho!

Zwijali się, pracowali,
skarb do skarbu przydawali
i, śpiewając niby z nut,
zbudowali domek-cud:
gniazdko ptasie takie oto.

Wtuliłabym się z ochotą
między tych pisklątek rój,
gdyby to był domek mój.

WIATR POLNY

Wstań, maleńki

Stuka Słonko złotym palcem
w okiennicy serce złote:
— Wstań, maleńki, wstań,
jeśli słuchać masz ochotę
świerszczykowych grań!
Przyszły one szumno, tłumno
zza zielonorudej łąki
pod okienko twe.
Chcą ci grać jak pszczoły, bąki,
wyjdź powitać je!
— Witajcie mi, świerszczykowie,
co na skrzypkach złotych gracie
ni w dziewięć, ni w sześć.
Dajcie pyszczka!... Jak się macie!
Ot! tu proszę siąść!

Czerwiec to czarodziej

Czerwiec to czarodziej!
Znalazł o północy
to, co w baśniach kwitnie
raz w rok:
Kwiat Paproci.
Da go tobie.
Da go mnie.
Kiedy?
Nocką.
Gdzie?
We śnie.

Nad strugą

Gęsiareczka mała
gąsięta pognała,
pognała je na słoneczko,
na to błonie, co nad rzeczką.
Pilu, pilu, pilusie,
nadążajcie, malusie!
...Idą, idą czerwone nóżki
przez te łąkowe zielone dróżki...
Gęsiareczka Hania
śpiewką je pogania...
W czas niedługi
doszły gąsięta do strugi.
Gęgały, stanęły.

— Tu w tej strudze śliczna woda,
będzie miła w niej ochłoda.
Aż po szyję, aż po dziób
do tej wody gąski chlup!

Gęsiareczka mała
na brzegu została.
Wianuszek splatała,
gąsiąt pilnowała.
Pilu, pilu, pilusie,
nie zgubcie się, malusie!

Na listeczku kalinowym

Wiatr
polny
swawolny,
jedyny
wiatr
przywiał listeczek kaliny!
Paw
śliczny,
jak śliczne
są pawie,
swe pióra
rozsypał
po trawie!
Na trawie
kropelki drżą
rosy.

A w rosie
niebieskie
niebiosy
i słońce:
pogodne,
swobodne,
gorące!
Podjęłam listeczek i piórko nieduże.
Piórko w rosie pełnej słońca
umoczę, zanurzę.
Na listeczku kalinowym
słóweczko po słowie
całe serce kochające
wypiszę, wypowiem.
Kalinowy listeczek gładziutki,
spiszę na nim radości i smutki.
Leciuteńkie, kolorowe, piękne pióro pawie
samą radość zapisuję, a smutków nic prawie.
Nieś, wietrzyku,
nieś po świecie
kalinowy listek
serdecznymi wierszykami
zapisany wszystek!

Lipiec z pszczół kapelą

Lipiec z pszczół kapelą
czuwa nad ogrodem,
więc mu ogrodniczka
niesie chleba z miodem.

Do domu! Do domu!

Idzie chmura
ciemna, bura, duża.

Ojej! Będzie burza!

Szumią, gną się,
skrzypią drzewa.

Oj! Będzie ulewa!

Już zagrzmiało.
Już błyska.
Już i kropla...
Deszcz pryska!

Myk, do domu!
Bliziutko.
Skryliśmy się
prędziutko.

A za oknem,
za drzwiami
woda płynie strugami.

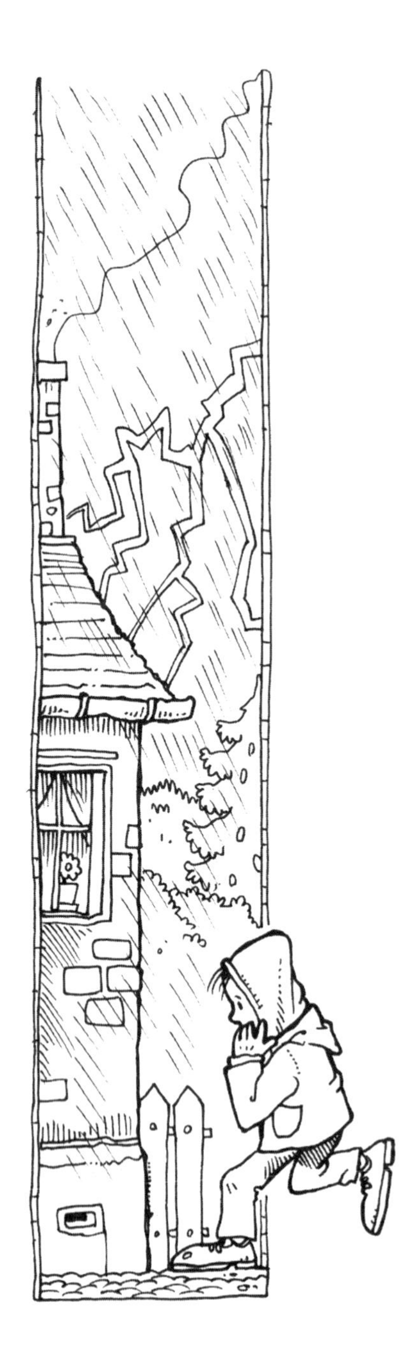

Sierpień idzie w tan

Sierpień na dożynkach
raźno idzie w tan.
Grajcie mu oberka!
Dajcie miodu dzban!

Zabawa na stawie

Zrobimy łódkę z kory,
puścimy ją na staw.
Przypłyną białe kaczory,
przyfrunie zielony paw.

Kaczory siądą u wioseł,
na maszcie siądzie paw,
a złoty karp, od ryb poseł,
podąży za nimi wpław.

Wiatr wydmie żagiel z papieru,
w ocean zmieni się staw.
Zatańczy łódka bez steru,
białe kaczory i paw!

Idzie Niebo

Idzie Niebo ciemną nocą,
ma w fartuszku pełno gwiazd.
Gwiazdy błyszczą i migocą,
aż wyjrzały ptaszki z gniazd.
Jak wyjrzały — zobaczyły
i nie chciały dalej spać,
kaprysiły, grymasiły,
żeby im po jednej dać!
— Gwiazdki nie są do zabawy,
tożby Nocka była zła!
Ej! Usłyszy kot kulawy!
Cicho bądźcie!... A, a, a...

Boża krówka

Boża krówka-matka
ubrała córeczkę
w nowiutko uszytą
krasną sukieneczkę.

I tak ją przestrzega:
— Moja córuś miła,
żebyś tej sukienki
nigdzie nie zbrudziła!

Nad wieczorem córuś
powraca do mamy,
ma na krasnej sukni
śliczne, czarne plamy.

— Coś robiła, gadaj,
bo pójdziesz do kątka!

— ...Ach! mnie całowały
małe Murzyniątka...
Więc to, proszę mamy,
są kropeczki-pamiąteczki,
a wcale nie plamy.

W obórce

W obórce pachnie mlekiem
i suchą koniczyną.
Krowy stoją u żłobów
z łagodną, sytą miną.

Nucą wieczorną piosnkę
dojące je dziewczęta.
Wtórują im spod stropu
malutkie jaskółczęta.

Owce

Po trawiastej uboczy
kierdelek owiec kroczy.

Pasły się pośród lasów,
wracają do szałasu.

Pies-owczar stąpa u boku,
nie spuszcza z owiec wzroku.

Baca dobył fajeczki:
— Chodźcie no spać, owieczki!

Kozice

Stroma skała,
wąska perć,
pod nią przepaść,
a tam — śmierć.

Percią biegnie kozie stadko
za swym wodzem, za swą matką.
U koziczek bystry wzrok,
u koziczek śmiały skok.
Wierch czy przepaść —
im to nic:
— Wyżej!
Chyżej!
Hyc i hyc!
Nie utrudzą sobie nóg
o rodzimy skalny próg.

Pies

Zaszło nam słoneczko,
wzeszedł księżyc złoty.
We wsi ukończone
już wszystkie roboty.
Po dniu pracowitym
sen jest zasłużony.
Spoczywają wozy
i pługi, i brony.
Śpią już wszyscy ludzie
i konie, i krowy.
Nie śpi tylko w budzie
Bryś — pies podwórzowy.
Siadł cicho na progu,
do czuwania skory,
i pilnuje chaty,
stajenki, obory.

W pasiece

Spróbujcie policzyć sami,
co tu uli pod drzewami.
W pasiece dziadzia Marcina
wcześnie dzień się rozpoczyna
pszczelim brzękiem,
pszczelą grą.

W cztery strony pszczółki mkną:
te do lipowego gaju,
te na łąki przy ruczaju,
tamte w pole, tamte w sad!
Dziadzio pszczelarz z tego rad,
strzeże pilnie barwnych uli,
gdzie się rój pszczółeczek tuli
cichą, srebrną, nocną porą,
gdy na niebie gwiazdki gorą.

Dzikie pszczoły

W ciemnym boru
na żywicznej sośnie —
tam kapela pszczela
gra radośnie.

W tej sosnowej braci
żwawych pszczół tysiące
robią słodkie miody
i woski jak słońce!

Miś na mchu pod sosną
pomrukuje z cicha:
łasuch zwęszył słodycz
i na miodek czyha!

Baczność! Baczność,
leśne pszczoły dzikie!
Strzeżcie waszej barci
przed misiem zbójnikiem!

Mrówki

Przepyszne w zamku komnaty,
zasobne spiżarnie.
Nikt tych skarbów nie przeliczy,
okiem nie ogarnie!

Drobny mrówczy ludek
swojej mrówczej pracy
nigdy nie żałował.
W gaiku nad dróżką
dzień po dniu pracował.

Aż zbudował to zamczysko,
rodzinne mrowisko.
A ty patrzysz
i podziwiasz
w tym mrowisku
wszystko!

Zawsze z domem ruszam w drogę

Nie każdemu się uda,
nie każdemu się zdarzy,
nie każdy należy
do takich szczęściarzy,
    jak ja:
    siłacz nad siłacze!
Kto się ze mną zmierzy? Proszę:
(Choćbyś w to nie wierzył!)
dom na plecach noszę.

Dom wygodny
suchy, trwały,
nie za duży,
nie za mały.

Choć mam jedną tylko nogę,
zawsze z domem ruszam w drogę.

Z domem chodzę,
z domem śpię,
z domem tańczę,
    jeśli chcę.

Zawodu nie zrobię nikomu,
gdy mnie ktoś odwiedzi w domu,
bo gość miły — w każdej porze
    gospodarza zastać może...

Czy to szczęście,
czy to bieda,
jeśli z domu
wyjść się nie da?

Rybki

Płynie rzeczułka, płynie,
a w szklanej jej głębinie,
gdzie nurt chłodny i chybki,
mieszkają zwinne rybki.
   Karp, szczupak, karaś, płotka,
   każdą pod wodą spotkasz.
Z piaseczku mają łóżko,
kamyczek jest poduszką.
   Lecz nie żałuj ich wcale:
   czują się doskonale,
żadnej nie boli głowa,
każda „jak rybka zdrowa"!

Żabka

Pod ten zielony liść
pragnęła żabka przyjść:
wynająć tu mieszkanie.
  Obejrzała go wkoło
  i rechoce wesoło:
— W miarę ciepło, w miarę chłód,
jedzenia widzę w bród!
Tu dobrze, tu już zostanę!

Motyle

Ile tu motyli?
Tyle!
Jakie śliczne
te motyle!
Domem dla nich
każdy kwiat,
gdyby nagle
deszczyk spadł.

SZARA GODZINA

Wrzesień

A ten Wrzesień
we wrzosie
szuka rydzów
po rosie.
A gdy rosa
już zginie,
rwie orzechy
w leszczynie.

Słonecznik

Dobry panie słoneczniku,
co ziarenek masz bez liku,
bardzo ciebie o to proszę:
sprzedaj mi ich za trzy grosze!

Za trzy grosze, za dwa złote,
bo na ziarnka mam ochotę!
Jak nie zechcesz, to nie trzeba.
Da mi mama z miodem chleba.

Dzikie gęsi

Idą chłody,
idą słoty
jesienne.
Dzionki krótkie,
noce długie
i ciemne.
Idą słoty,
idą psoty
i głody.
Ziębnie rola,
ziębną lasy
i wody.
Oj, już pora,
oj, pora
odlatywać
dzikim gęsiom
z jeziora.
Hej, wy gąski,
dzikie gąski
żałosne,
a powróćcie
do nas tutaj
na wiosnę!

Szara godzina

Szare niebo za oknem.
Szare drzewa w sadzie.
Szary deszcz się na wszystkim
szarą mgiełką kładzie.
Szary piesek pod piecem
krótką pali fajkę
i szaremu kotkowi
prawi długą bajkę
o małej, szarej myszce,
która siedzi w norze
i wcale w ten dzień słotny
na dwór wyjść nie może

Wesoły łowca

Październik,
        że wesoły,
to przez swawolne zbytki
świat łowi na cieniuchne,
        pajęczynowe
                nitki.

Kasztany

Weź brązowe paltko,
synku kochany.
Pójdziemy do parku
zbierać kasztany.

Leżą tam jak małe,
zielone jeże.
Kto z nas, synku, prędzej
i więcej zbierze?

Czyje będą ciemne,
a czyje w łatki,
czy twoje, syneczku,
czy twojej matki?

I co z nich zrobimy:
krówki czy konie?
I kto przy tym bardziej
poplami dłonie?

Kto je potem czyściej
w domu umyje?
Kto się komu pierwszy
rzuci na szyję?

Listopad

Listopad złocisty
pisze, pisze listy
purpurowe, złote,
jakie ma ochotę.

Wiatry-listonosze
roznoszą listeczki.
Jeden taki liścik
trafił do mej teczki.

Bawiły się liście

Bawiły się liście w „kosi, kosi, łapci":
— Pojedziem daleko, do Liścianej Babci!
Do Liścianej Babci, Liścianego Dziadka,
nie będziem tu siedzieć, jak chce pani Matka!

No i poleciały, lecz tyle wiem o tym,
że nie mogły nigdy przylecieć z powrotem.

Słota

Deszcz pada od rana
do samego południa.
Świat jest mokry i ciemny
jak zaklęta studnia.

Małe dzieci śpią w domu,
duże — siedzą w szkole,
a chodzą po ulicy
same... parasole.

Dziadzio Mrok

Pada, pada deszcz
chlupu, chlupu, chlup!
Idzie dziadzio Mrok
tupu, tupu, tup!

Idzie dziadzio Mrok
człapu, człapu, człap!
Wyskoczyła noc,
za połę go łap!

Zmyka dziadzio Mrok
tupu, tupu, tup!
A noc za nim brnie
chlupu, chlupu, chlup!

ŚNIEGOWE PIÓRKA

Biegnie żwawy Grudzień

Biegnie żwawy Grudzień
z brzękiem łyżew, nart:
— Dalej za mną, dzieci!
Kto żyw — ten na start!

Śniegowe piórka

Jakie to ptaki leciały nad miastem,
że pogubiły takie srebrne piórka
i wyścieliły nimi tak puszyście
te wszystkie szare i zimne podwórka?

Teraz podwórka są jak gniazdka białe,
ulice także porosły piórkami.
I całe miasto jest jak nie to samo —
od bramy srebrnej aż do srebrnej bramy.

Weźmy się za ręce

Weźmy się za ręce,
chłopcy i dziewczynki,
zatańczymy razem
dokoła choinki.

Dokoła choinki
jest tu miejsca dosyć.
Może by i inne
dzieci też zaprosić?
Prosimy, prosimy,
przyjdźcie do nas w gości
w to wesołe święto,
w to święto Radości!

Choinka w lesie

Ta choinka, ta zielona
stała w lesie ośnieżona.
Trzy sarenki tam przybiegły,
na spoczynek pod nią legły.
Oj, lesie, lesie!

Ta choinka w śniegu biała
z wiatrem szyszki kołysała.
Zobaczyła ją wiewiórka
i po szyszkę dała nurka.
Oj, lesie, lesie!

Pod choinkę przybiegł zając
przed myśliwym uciekając.
Trwożne życie uratował,
choineczkę obtańcował.
Oj, lesie, lesie!

Choineczka w lesie stała,
z roku na rok podrastała.
A czuwali nad nią stale
i leśnicy, i krasnale.
Oj, lesie, lesie!

Nowy Rok, to jego wola,
przeznaczył ją do przedszkola.
Zaraz sam się tu pojawi,
żeby z dziećmi się pobawić.
Oj, Nowy Roku!

Zimorodek

Zmówiły się lody, śniegi:
— Skujmy rzekę!
Skuły brzegi,
a pośrodku nurt bystry
mknie swobodny i czysty,
młyńskie koło obraca.

...Wre, wre, wre, wre,
wre praca!
 Spada woda na koło
 brylantami wesoło.
Wtem — pomiędzy szprychami,
pośród bryzgów i piany,
coś błękitem mignęło,
błysło, śmigło, nurknęło!
 Wstrzymajmy dech... Mknie chwila...
 ...Ptak się z wody wychyla:
srebrną rybkę wyłowił.
Frunie już ku brzegowi.
Do pisklątek swych śpieszy,
jadłem dziobki ucieszyć.
Z rybich ości gniazdeczko
w ziemnej jamce nad rzeczką,
tajemniczy zakątek,
kolebeczka pisklątek.
Zima, innym macocha,
zimorodki swe kocha.

Jedzie Styczeń

Jedzie Styczeń czwórką koni,
złote lejce trzyma w dłoni.
Wiatr go ściga, pędzi, goni!
...W złotym słonku srebrny kurz...
Pyszna sanna w skrzący mróz!

Póki mróz nie zginie

Mam ja kromkę chleba,
z wróblem się podzielę.
O ptaszki dbać trzeba,
jedz, wróbelku, śmiele.

Mam kubeczek mleka,
naleję kotkowi,
bo ten kotek jest kulawy,
nic dzisiaj nie złowi.

Pali się ogieniek,
ciepło przy kominie.
Chodź, ogrzej się, piesku,
póki mróz nie zginie.

Luty! Luty!

Idzie Luty,
niesie buty
futrzane.
Gdy urosnę,
i ja takie
dostanę.

IGIEŁKA ZE ZŁOTYM USZKIEM

Rodzeństwo

Dwóch dużych braciszków,
małe siostry trzy,
synuś maluteńki,
Bryś, lalki — to my.
Bawimy się razem,
pracujemy też.
Do naszej gromadki
przyjmiemy cię. Chcesz?

Jest na wszystko rada

Po nauce, po zabawie
do pracy siadamy.
Szyć będziemy.
Ty nie umiesz? No, to siadaj z nami.
Jest na wszystko rada.
Oto igła z nitką,
nauczysz się szybko.
Nauczymy ciebie sami,
tylko szyj, szyj razem z nami!

Szyjemy

Mamy igłę, mamy nić,
raz, dwa, trzy — będziemy szyć!
Ta igiełka stalowa,
nawleczmy ją. Gotowa.
Teraz igłę z uszkiem złotym
bierz w palce i — do roboty!
Dalej, palce, nie próżnujcie,
igiełeczką wymachujcie!

Prujemy

Igiełeczka tu, tu, tam
i już ścieg za ściegiem sam
po płócienku myk, myk, bieży.
Niechaj patrzy, kto nie wierzy.

Patrzy, widzi, dziwi się...
...Trudno, uszyliśmy źle!
Trzeba to spruć, poprawić,
z robotą się nie bawić.

Torba na jabłuszka

Imieniny naszej mamy.
Naszej mamie cóż my damy?
Mama idzie po zakupy
na targowisko.
Mama musi mieć torbę,
aby przynieść wszystko.
Torbę mamie uszyć trzeba.
To sztuka!
Uszyjemy. W las nie poszła nauka.
Masz, mamusiu, torbę — i mocną, i ładną.
Jabłuszka z tej torby już ci nie wypadną.

Dla dziadusia, dla babusi

Dziadziowi, babusi
wygodnie być musi.
Uszyliśmy poduszeczkę
na krzesełko, na ławeczkę.

Siądź, dziadziusiu, zapal fajkę.
Siądź, babusiu, powiesz bajkę.
Powiesz bajkę o tej czapli,
co chodzi po desce
z tych zgrabniutkich ściegów,
co je stawiam jeszcze...
jeszcze... jeszcze...

Tu mydło, tu gąbka

Słoneczko spać poszło,
czas nam do łóżeczka.
Umyjemy przedtem
małego syneczka.
Tu mydło, tu gąbka,
tu czyste ręczniki.
Na jednym kogutek
pieje: Kikiriki!
A na drugim kotek,
łapką pyszczek myje.
I my, jak ten kotek,
myjmy buzię, szyję.

Czyścioszek

Synuś chlapie się w wanience.
Mydlu, mydlu nóżki, ręce.
Mydlu, mydlu plecki, brzuszek.
Wytrzyjmy go.
Wśród poduszek
leży synuś malutki,
wykąpany, czyściutki,
cacy, synuś, cacy!

Brudasek

A ten piesek Bryś,
co się nie chciał kąpać dziś,
ma na łapkach kurz i piasek,
więc spać pójdzie jak brudasek.
Fe!

Dobranoc

Śpi Bryś koło łóżeczka,
dobranoc, strzeż syneczka!
Śpi synek w łóżeczku,
dobranoc ci, syneczku!
Usnął kogut na ręczniku,
rano krzyknie: Kukuryku!
Z drugiego ręcznika
kotek cicho mruga.
Mruczy kołysankę,
piosnka to niedługa:
„Nie długa, nie krótka,
a w sam raz.
Zaśpiewaj, koteczku,
jeszcze raz!”

Śniadanie

Gdy słoneczko w oknie stanie,
mama woła na śniadanie.
    Jest chleb, masło, miód do chleba,
    lecz wpierw nakryć stół potrzeba.
Oto obrus z serwetkami,
wyszywaliśmy je sami.
    Te z rzodkiewką dla Zosieczki,
    dla Małgosi poziomeczki.
Motylkiem obdarzmy Anię,
Jacek prosiaczki dostanie.
    Po serwetce Jerzyka
    pstry króliczek pomyka
    z rożka w rożek szust! szust! szusta.
    Jadłeś, piłeś, wytrzyj usta.
Tylko synuś, gwałtu, rety,
je śniadanko bez serwety!
Pochlapał się cały.
    Płacze.
Nie płacz, synku,
masz śliniaczek.
    Na śliniaczku żabki
    robią ‚koci-łapki".

Zegar bije

Zegar bije: bam, bam, bam!
że do szkoły iść czas nam.

Łap! za książki i zeszyty,
będzie dzionek pracowity.

Synuś tupu, tup przed nami,
niesie torbę z pantoflami.

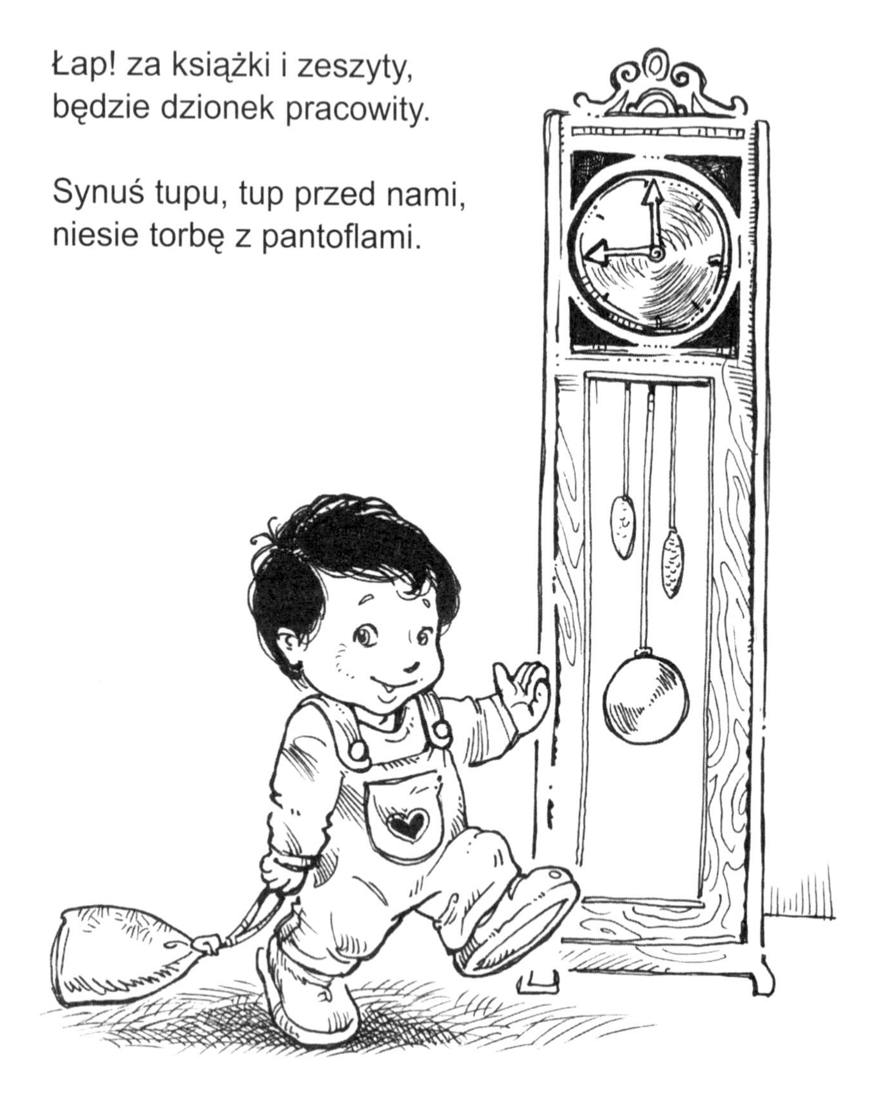

ZWIERZĄTKA PIOTRUSIA

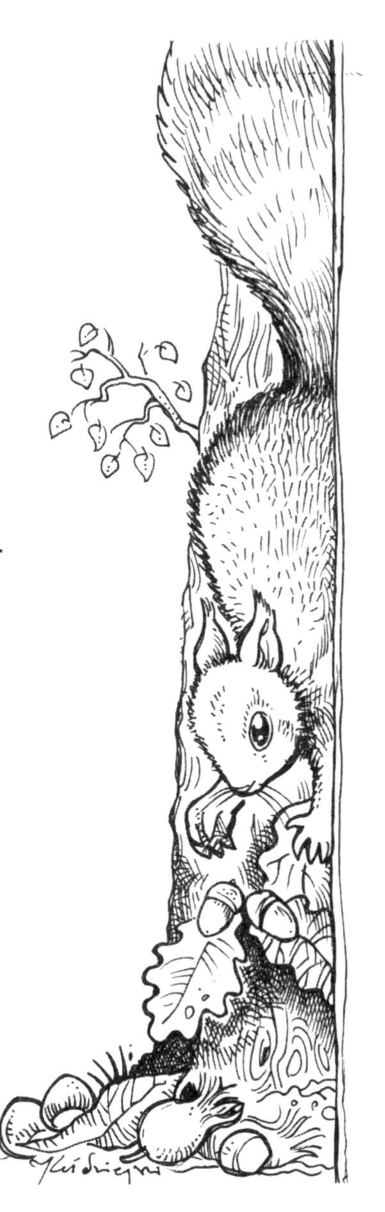

Zwierzątka Piotrusia

Do lasu uciekła wiewiórka.
Zgubiła się mała jaszczurka.
Chłopaki wykradli łasiczkę.
Kot złapał kulawą wróbliczkę.

Powolny żółw był najdłużej,
lecz i on jest już w kałuży,
tam, gdzie te wierzby zielone.
Nawet nie patrzy w tę stronę...

Wiewiórka

W dębowej dziupli
wiewiórka mieszka.
Chcesz ją odwiedzić?
Da ci orzeszka.
W gościnę ciebie
zaprosi rada,
do ciemnej dziupli,
gdzie za stół siada
i dla posiłku, i dla uciechy
chrupie laskowe
jędrne orzechy!

Zajączek

W tej kotlince pod miedzą
zajączki sobie siedzą.
Siedzą sobie cichutko,
zacisznie im, cieplutko.

Śpi zajączek szczęśliwy,
nie znajdzie go myśliwy
Śpi zajączek w kotlinie,
myśliwy go ominie!

Dwie „muszki"

Jedna muszka — czarna muszka,
druga Muszka — biała.
Czarna muszka białej Muszce
spać dziś nie dawała.

A sio! Nie brzęcz, czarna muszko,
biała Muszka chora.
Nie posłuchasz? To przyniosę
z lasu muchomora!

Szczeniątka

Bez liku
    jest szczeniątek w koszyku.
Jedno — podobne do matki.
Drugie — w białe łatki.
Trzecie — czarne jak wronka.
Czwarte — bez ogonka.
Podpalanych dwoje.
    A ostatnie, to najmniejsze,
    ono... będzie moje!

Do zbłąkanego pieska

O! byłbyś wpadł pod samochód!
Malutki, uważać trzeba.
Ach, jaki ty jesteś chudziutki.
Chcesz chleba?
    Chodź ze mną.
Mieszkamy w podwórku,
będziesz mógł biegać tam.
Nie uwiążemy ciebie
    na sznurku.
Będzie ci dobrze.
Chodź.
Już nie znajdziesz pana,
choćbyś tu szczekał do rana.
No, chodźże ze mną, nieboże.

Nie wiesz,
że w mieście
pies sam być nie może?

Szaruś

Ma królik szary
łapek do pary.
Ma uszka długie,
jedno i drugie.
Dzieci go pasą
w kątku na łące,
gdzie pewnie nocą
chodzą zające.
Dzikie zające dziki szczaw jedzą,
a o Szarusiu wcale nie wiedzą.

Kurczątka

Po podwórku kwoka chodzi
i kurczątka żółte wodzi.
Patrzy w niebo i na boki:
— Nie ma wrony.
Nie ma sroki.
...Ko, ko, ko, ko! Jastrząb leci!
Tu, tu, tu, pod skrzydła, dzieci!

Piszcząc biegnie całe stadko:
— Zakryj nas! Przytul nas, matko!
Ty, jastrzębiu, leć za las!
Nie chwycisz żadnego z nas!

Konik

Cały dzionek w polu,
calutki na łanie.
Spracował się konik orką,
czas na spoczywanie.
Cały dzionek w lesie,
cały dzień u zwózki.
Spracował się konik młody,
odpoczną mu nóżki.
Cały dzień w podróży
ode wsi do miasta.
Turkotały koła wozu,
koń kopytem trzaskał.
Gołąb w gołębniku
(gospodarska głowa!),
gdy usłyszał tętent,
zagruchał w te słowa:
— Otwórz się, stajenko!
Otwórz się niezwłocznie,
spracował się nasz konisio,
niech sobie odpocznie.

WIERSZYKI RENI

Córeczki

Mamusia ma Renię.
Renia ma laleczkę.
Każdy na tym świecie
ma swoją córeczkę.

Kot i Renia

Mówi mama do Reni:
— Twój kot sam się myje.
I nie tylko buziuchnę,
lecz uszka i szyję.

Mówi Renia do mamy:
— Pozwól, niech zobaczę,
czy naprawdę to mój kotek?
I czemu nie płacze?

Co robi golasek rano

Kąpu-kąpu, mój golasku,
w wanience.
Umyj buzię, umyj łebek
i ręce.

Szuru-szuru, mój golasku,
ręcznikiem.
Zaraz będziesz czyściuteńkim
chłopczykiem.
Łapu-capu, mój golasku,
koszulę.
Teraz ciebie pocałuję,
przytulę.
Tupu-tupu, mój golasku,
przed siebie,
poprowadzę na spacerek
ja ciebie.

Ucieka, ucieka!

Renia nie chce mleka.
Więc mleko nie czeka,
odęło się gniewnie,
z rondelka ucieka
i płynie przed siebie
jak prawdziwa rzeka!

Gąska

Wzięła Renia w piąstkę
ze stolnicy kluska.
Ulepiła gąskę:
— Niech się w zupie pluska!

Laska

Laska chodzi z tatusiem
tu i tam, i wszędzie.
Poczekaj no, tatusiu,
Renia też tak będzie!

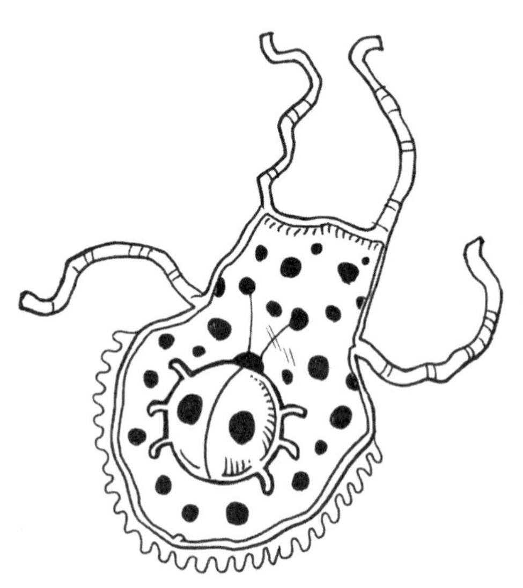

Fartuszek

Renin fartuszeczek
pełen jest kropeczek
jak u biedroneczek.
Największe kropeczki
to są kieszoneczki.
Zazdroszczą ich Reni
małe biedroneczki.
Aha!

Skarżypyta

Chusteczka do nosa
to jest... skarżypyta.
Opowiada wszystko,
choć jej nikt nie pyta,
czy nią Renia czyści butki,
czy w nią rybki chwyta...

Na kasztanie

Siedzi Renia na kasztanie,
a ktoś do niej mruga...
Ach! to dziurka na kolanie,
a na łokciu druga!

Co hałasu!

Co hałasu! Co wrzasku!
Renia bawi się w piasku
i okropnie kurzy!

A kury za bramą
robią też to samo.
Kto wytrzyma dłużej?

Renia i kogut

Strasznie jest „dziobaty”
kogut jarzębiaty.
Renia siadła sobie,
a ten już ją dziobie!

Ej, nie bądź tak srogi!
Wezmę ci ostrogi
i wszyscy zobaczą,
że masz... bose nogi,
kogucie!

Jak się kotek uczył śpiewać

Wlazł kotek
na płotek,
miauczy!
— Zejdź, Renia cię śpiewać nauczy.
Zszedł kotek
przez plotek
i mruga...
— No, powtórz, piosenka niedługa.
Nie długa,
nie krótka,
lecz w sam raz.
— Zaśpiewaj ty sama jeszcze raz.

Kruczek

— Służyć, Kruczku! —
Kruczek służy
jak najprościej,
jak najdłużej.

— Leżeć, Kruczku! —
Kruczek leży.
Leży, leży, nie odbieży.

— Kruczku, hop! —
Skoczył, szczeknął!
Szczeka.
Ucieka...
Uciekł!!!

Kanarek

Swój, oswojony, uroczy:
szczypta żółciutkich
    piórek gładziutkich,
    dwa pacioreczki-oczy.
Ma otworzone
drzwiczki zielone
    drucianej klatki:
Fruwa, przyfruwa,
gdy go zawoła głos Reni, tatusia, matki.
Renia go poi źródlaną wodą,
daje mu siemię, kanar i rzepak
    z pełniutkiej pięści.
Przez palce lecą drobne ziarneczka:
— Jedz!
    I niech ci się szczęści.
Kanarek śpiewa w dzień.
Śpiewa w nocy.
Trzeba go zakryć chusteczką:
— Noc jest do spania.
    ...Aaa. Uśnij.
Nie bądź niegrzeczny jak dziecko.

Bajeczki

Renia nie ma dziadusia,
Renia nie ma babusi.
Renia sama bajeczki
wymyślać sobie musi.

Parkowa królewna

W parku mieszka królewna,
co calutka jest z drewna.
Ma paluszki z patyczków
i nie nosi trzewiczków.

Gdy przeminą dwa lata,
za jeża się wyswata,
w parku balik ogłosi
i Renię też zaprosi.

Złota rybka

W srebrnej wodzie
złota rybka
złote skrzelki ma.
Zarzucimy
srebrne sieci
do samego dna,
wyłowimy złotą rybkę,
niech nam szczęście da!

Wodnik

Do stoku, do stoku
chodzi się po wodę.
W stoku mieszka wodnik,
ma zieloną brodę.

Ma zieloną brodę,
ma zielone włosy.
Gdy zabierać wodę,
krzyczy wniebogłosy!

Śpij, golasku

Śpij, golasku z porcelany.
Śpij, mój mały, śpij, kochany.
Nocka sen ci śliczny da.
A, a, a...

Pięknym królem będziesz pewno
i ożenisz się z królewną.
Tą królewną będę ja.
A, a, a...

Lisia czapa

Wstał Miesiączek spod pierzyny,
„lisią czapę" wdział.
A któż ci, Miesiączku siny,
to czapczysko dał?

— Dała mi ją ciotka Słota,
bo deszcz będzie jak z rzeszota.
Dała mi ją na godzinę,
żebym przykrył mą łysinę.

Ustał deszcz i Miesiąc siny
„lisią czapę" zdjął.
Dobrze, że lis drzemał w norze,
byłby mu ją wziął.

Renia i żabki

Na łące jest upał,
a w lesie jest chłód.
Przed Renią jest rzeczka.
Renia przejdzie w bród.

Brodzi Renia, brodzi,
robi plusk, plusk, plask!
Aż żabki (co żabek!!!)
rozpoczęły wrzask:

— Kum! Kum! Straszny bociek
w czerwonej kapocie
brodzi w naszym błocie!
Uciekajmy! Rech!
    A co Renia?
    W śmiech!

Renia liczy

Chodzi Renia.
Chodzi, mruczy:
— Nikt mnie liczyć nie nauczył!

Liczy mama,
liczy tata,
naliczyli cztery latka
    Reni.

Abecadło

Renia ma abecadło:
duże czarne litery
i czerwone numery
w srebrnym pudle z tekturki.

Trzeba się prędko nauczyć,
żeby je można wyrzucić,
bo pudełko potrzebne na sznurki.

Tatuś rysuje

Narysował tatuś pana,
który stoi bokiem.
Narysował tatuś pana
z jednym tylko okiem.
Patrzy Renia i aż
buzię otwarła szeroko:
— A gdzie tatuś temu panu
schował drugie oko?

Dziwne gniazdko

Z tatusiem-koleżką
idzie Renia w zbożu ścieżką.
Radość nie byle jaka:
znaleźli gniazdko
wróbla? skowronka? szpaka?
...Cztery łapki, ogonek, siersteczka...
— Tato!
Powiedz, kto w tym gniazdku mieszka?
— Zwierzątka:
myszątka
i polna mysz — mateczka.
Jeszcze Renia nie słyszała,
jeszcze Renia nie widziała
takiego gniazdeczka!

Nie boi się

Zamknięte okno, drzwi.
Błysnęło.
Grzmi!
Wiatr zgina stare drzewa.
Deszcz zacina.
Ulewa.
I tak ciemno na dworze,
że już ciemniej nie może.
A Renia w oknie stoi
i wcale się nie boi.

Niebieski dzbanuszek

Kupił tatuś Reni
niebieski dzbanuszek.
Niebieski dzbanuszek,
co ma dwoje uszek
i pękaty brzuszek.
Niesie Renia dzbanek,
już weszła na ganek.
Wtem... drgnęły paluszki
i — z dzbanka okruszki!

Srebrne gwiazdki

Reni było trzeba
srebrnej gwiazdki z nieba.
Wtedy zima biała
tyle ich zesłała,
że się ziemia cała
srebrną gwiazdką stała.

Renia nie chce spać

Renia iść spać nie chce,
bo dzień taki krótki!
Jeszcze go ujmują
na różne robótki,
na obiad, śniadanie
i na podwieczorek.
Potem noc przychodzi,
wsadza w czarny worek
i trzeba w nim leżeć
cicho, bez hałasu.
Ten dzień taki krótki,
na nic nie ma czasu.

Piłka

Piłka tu!
Piłka tam!
Piłki nikt nie rzuca sam.
— Chwytaj ty,
potem ja!
Renia w piłkę z cieniem gra.

Ludziki

Renia nie ma braciszka,
Renia nie ma siostrzyczki.
Ale Renia ma papier
i dzwoniące nożyczki.

Nawycina ludzików,
pousadza wokoło
i będą się bawili,
i będzie im wesoło!

Mała myszka

Mała myszka biega
w kuchni po okapie.
Niechaj sobie biega,
nikt jej tu nie złapie,
bo ta mała myszka
też nie ma braciszka.

A jakie? A gdzie?

Śnieżek prószy.
Deszczyk pada.
Słoneczko świeci.
Nasza Renia
nie jest sama:
z Renią są dzieci!
A jakie? A gdzie?

Do widzenia!

— Włóż beret!
Włożyła.
— Zapnij płaszczyk!
Zapięła.
— Masz jabłko!
Wzięła.
— Do widzenia, tatusiu!
— Do widzenia, mamusiu!
— Do widzenia, córusiu! Uważaj,
gdy będziesz szła.

Renia idzie do przedszkola

Idzie.
Przeszła próg.
Drzwi zamknęły się.
                    Stuk!
Po schodach na podwórko.
Z okna głos:
                — Uważaj, córko!
Przez ulicę.
Przez placyk.
Tutaj wszystko inaczej.
Renia się dziwi.
Dziwi się.
...Ktoś starszy ci przeczyta.
...Nim otworzysz — zapytaj.
...Będzie bramka.
        Jest bramka.
...Będzie klamka.
        Jest klamka.
...I tabliczka z napisem...
        Nie!
                Nie będzie Renia starszych pytać:
                ona z pamięci umie przeczytać
                to słowo na tabliczce:
                                        PRZEDSZKOLE

Ile dzieci!

Renia jedna,
Renia druga,
Renia trzecia,
Renia czwarta,
dwie Jadwisie,
trzy Marysie,
jedna Ewa,
jedna Krysia,
jedna Marta,
Franek,
Janek,
Tomek,
Romek,
Anatol,
Olek,
Poldek,
Cześ,
Grześ,
Wieś,
Leś,
Ile dzieci! Oj, tato!
Bolki, Józki, małe, mniejsze!
Jaśki, Staśki, duże, większe!
Zatoczyli koło.
Mamusiu! Wesoło!
Bo ja sobie stoję w kole
i wybieram, kogo wolę!!

ZŁOTY JEŻ

Bajeczka dla syneczka

Szare-bure kotki
z bosymi łapkami
dźwigają kobiałkę
wypchaną bajkami.
Siadły odpoczywać,
a bajki z kobiałki
sypią się na ziemię
tak jak ulęgałki.
Pozostała na dnie
najmniejsza bajeczka...
Dajcie mi ją, kotki,
dla mego syneczka.

A... a... a...

A... a... a... kotki dwa,
srebrnobiałe obydwa.
Nic nie będą
robiły,
tylko bajki
mówiły...
a... a... a...

A czy znasz ty bajkę

A czy znasz ty Bajkę,
która pali fajkę?
Przy kominku siada,
siebie opowiada
i nigdy, nieborę,
skończyć się nie może...

Złoty jeż

Mój mały, maleńki,
czy ty o tym wiesz,
że nocą — północą
chodzi złoty jeż?

Drzew pilnuje w sadzie,
pod jabłonką śpi,
a gdy go obudzić,
jest okropnie zły!

Mój mały, maleńki,
czy ty o tym wiesz,
że ten jeż to wcale
nie jest żaden jeż?

To śliczny królewicz,
co dla jakichś kar
w jeża zamieniony
został przez zły czar!

Mój mały, maleńki,
posłuchaj mych rad:
Nie chodź nigdy nocą
w owocowy sad.

I nie szukaj jeża
co pod drzewem śpi,
bo gdy go obudzisz,
będzie bardzo zły!

Żabia bajka

O północku
żab gromada
w czarnym błocku
opowiada
straszną bajkę o bocianie:

— Rech — rech — rech!
Był raz bocian.
Zdechł!!!

Czerwony obrazek

Nie płaczże mi, nie płacz,
synusiu rodzony,
dam ci ołóweczek
calutki czerwony.
Narysujesz sobie
czerwone koniki,
zaprzężesz je oba
do czerwonej bryki,
potem ostro strzelisz
z czerwonego bata!
Po czerwonej drodze
pojedziesz ta-ta-ta...

Kołysanka

Słonko się kładzie
i jabłka w sadzie,
i w polu kwiaty,
i laska taty,
cała ta brać
...kładzie się spać.
...Kładź się i ty!
Dam ci bajeczkę
pod poduszeczkę,
niech z tobą śpi!

Myszątka

Cicho... cicho... cisz...
Drepcze, drepcze mysz,
a z każdego kątka
ziewają myszątka.
Cicho... cicho... cisz...
Śpijże mi, jak śpisz!
...Poszła mysz do kątka
i lula myszątka...
Cicho... cicho... cisz...
Co ty sobie śnisz?
...Śnisz małe myszątka,
co śnią ciebie z kątka...

Kotki

A, a, a,
kotki dwa
szare, bure obydwa.
Zwinęły się w kłębuszek
wśród puchowych poduszek.

A, a, a,
kotki dwa,
szare, bure obydwa.
Nic nie będą robiły,
tylko dziecko bawiły.

By je uśpić troszeczkę,
mruczą kocią piosneczkę:
— Myr, myr, myr,
mrau, mra,
zamknij oczka obydwa!

Wyszła myszka z zapiecka,
przydreptała do dziecka.
  Choć ta myszka tak mała,
  nic się kotków nie bała,
Siadła razem z nimi śpiewać;
aż zaczęło dziecko ziewać:
— A, a, a... aaa...

Żarcik Misia

A ten pluszowy Miś
grymasił dziś.
Powtarzał wokoło:
    — Ja chcę iść do ZOO!
    Ja chcę do niedźwiedzi!
— Będziesz z nimi siedzieć?
— Ani mi się śni!
Będę na nie patrzył
z biletem w kieszeni
    tak
        jak
            wy.

Sierotka z baśni

Idzie sierotka dróżkami,
nad nią miesiączek z gwiazdkami.
Nad nią słoneczko we złocie
przygrzewa, świeci sierocie.

Idzie sierotka pod niebem,
samiutka, idzie za chlebem.

Wyszli sierotce naprzeciw
ludzie dorośli i dzieci.
I uśmiechnęli się do niej
podając serca na dłoni.

Świerszczyk

Wiesz!
Umarł świerszczyk zza komina.
Mój Boże!
Ten sam, ten sam, co tak wygrywał
w wieczornej porze.
Ten sam, ten sam, co nam przygrywał
aż do północy!
...Mówiłeś,
że nie możesz zasnąć,
że on się z tobą droczy...
Ale to prawdą nie było:

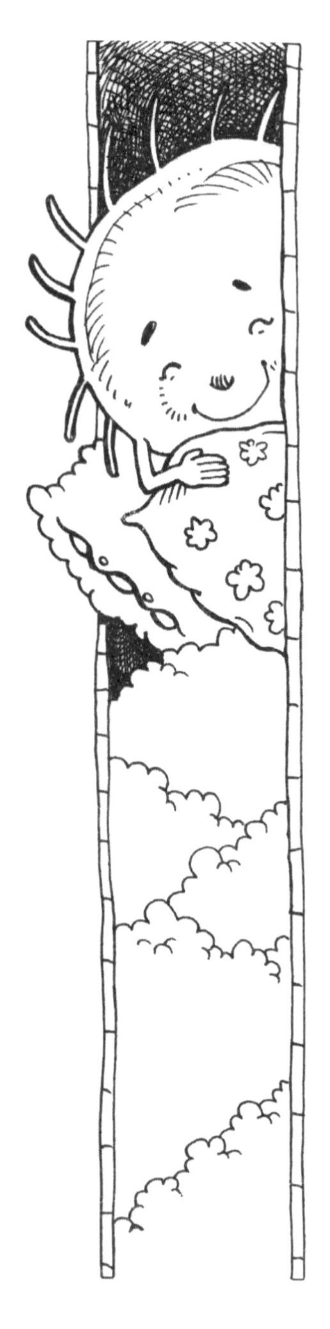

On grał, by ci się śniło.
A dzisiaj umarł z rana ni z tego,
ni z owego.
...Pożałujże go!

Moja nocko, nie bądź zła

Lubisz bajki do poduszki,
powiem bajkę, nadstaw uszki:
A, a, a...
A, a, a...
Nocka dzisiaj czegoś zła.
Nie chce przynieść pieska, który pali fajkę
nie chce dać nam kotka,
żeby mruczał bajkę.
A, a, a...
A, a, a...
Moja nocko, nie bądź zła!

Jak szło słonko spać

Jak szło słonko spać,
musieli mu dać
tych puchowych chmurek krzynkę
na poduszki, na pierzynkę,
żeby mogło spać!

Jak chciał miesiąc wstać,
musieli mu dać
na buciki srebrnej rosy,
by po niebie nie szedł bosy,
kiedy musiał wstać!

Lśni miesiączek, lśni,
śpi słoneczko, śpi.
I nie wiedzą wcale o tym,
teraz, przedtem ani potem,
co mój mały śni!

Gliniany jeździec

— Dokąd jedziesz, podróżniku,
na glinianym swym koniku?
— Patataj, patataj,
hen, w daleki jadę kraj
dookoła,
dookoła
glinianego garnczka, stoła,
długa podróż i wesoła.
Może ze mną pojedziecie,
by rozejrzeć się po świecie?
Patataj, patataj,
gnaj gliniany koniu! Gnaj!
— Jadą, aż nas zazdrość bierze.
A wracajcie na wieczerzę!

Ciemnego pokoju nie trzeba się bać

Ciemnego pokoju nie trzeba się bać,
bo w ciemnym pokoju czar może się stać...
Ach! W ciemnym pokoju, powiadam wam dzieci,
lampa Aladyna czasami się świeci...
Ach! W ciemnym pokoju wśród łóżka poduszek
spoczywa z rodzeństwem sam Tomcio Paluszek...
Ach! W ciemnym pokoju podobno na pewno
zobaczyć się można ze Śpiącą Królewną...
Ach! W ciemnym pokoju Kot, co palił fajkę,
opowiedzieć gotów najciekawszą bajkę,
a wysoka czapla chodzi wciąż po desce
i pyta się dzieci:
— Czy powiedzieć jeszcze?

Czerwone butki

Dam ci, mój malutki,
dwa czerwone butki,
ale zdjąć je musisz wychodząc na łąki.
Bo tam pośród trawy
za maczek jaskrawy
wezmą nóżki twoje te kosmate bąki.

Dam ci, mój malutki,
dwa czerwone butki,
ale nie obuwaj ich nigdy do gaju.

Boby muchomory
wiodły o nie spory,
co na jednej nodze stoją u rozstaju.

Dam ci, mój malutki,
dwa czerwone butki,
biegaj w nich do woli po calutkim domu.
...Powiem ci do uszka:
są to dwa serduszka,
z których ci buciczki szyłam po kryjomu.

Buciczkowa Wróżka

A kiedy, mój malutki,
wieczorem idziesz spać,
czerwone twoje butki
przy łóżku lubią stać.

Lecz skoro noc zapuka,
pewne, że pan ich śpi
i we śnie nie poszuka,
zmykają przeze drzwi.

Przez ścieżki i przez dróżki,
jak tam którego stać,
do Buciczkowej Wróżki
czerwona drepcze brać.

Bo Wróżka Buciczkowa
wyczynia dziwny czar:
w czerwone butki chowa
radosnych skoków dar!

Od Wróżki wraz z słoneczkiem
buciczki mkną kic, kic!
I stają przed łóżeczkiem,
jak gdyby nigdy nic...

...Dlatego, mój malutki,
co rano dziwisz się,
że skoro włożysz butki,
wnet skakać ci się chce.

Strzeż konika na biegunach

Strzeż konika na biegunach,
by go bajka nie urzekła!
...Znałem taką lalkę z gumy,
co ożyła i uciekła.
Poszła sobie do ogrodu,
kędy były ludzi tłumy,
i chodziła po alei,
taka mała lalka z gumy!
Zrazu ludzie się dziwili,
wytykali ją palcami:
— Patrzcie! Patrzcie! Lalka z gumy
spaceruje między nami!

Lecz że każdy miał swe sprawy,
pochowali szybko palce
i czym prędzej zapomnieli
o maleńkiej z gumy lalce.
A ta lalka zapomniana
wciąż chodziła i chodziła,
aż podobno się raz kiedyś
nie wiadomo gdzie zgubiła.
...Tak to było z ową lalką,
co ożyła i uciekła...
Strzeż konika na biegunach
by go bajka nie urzekła!

Szklana Góra

Stąd nawet nie widać,
tak bardzo daleko
stoi Szklana Góra,
za dziewiątą rzeką.
Za dziewiątą rzeką,
za dziewiątym lasem,
a gdy się tam znudzi,
to wędruje czasem.
Niech tylko zobaczy
szybkę zbitą w oknie,
staje na jej miejscu
i na deszczu moknie.
Ach, moknie na deszczu,

na słonku się pali
i nie może wcale
powędrować dalej!
A choć tak wysoka,
że sięga do nieba,
robi się maluśka,
jeśli tego trzeba.
Pamiętaj, malutki,
nie bij szybek z procy,
boby Szklana Góra
przyjść musiała w nocy.

Krasnoludki

Nie płacz, nie płacz, mój malutki!
Śpią pod progiem krasnoludki,

popod progiem, pod podłogą.
Jeszcze się obudzić mogą...

Wyjdą z norek zadziwione,
będą patrzeć w twoją stronę.

Będą białą brodą kiwać.
Coś tam szeptać, naszeptywać...

Potem smutne, niewyspane
zaczną drapać się na ścianę

i zawisną u sufitu,
żeby drzemać tam do świtu.

A o świcie przyjdzie niania,
co z sufitu muszki zgania,

niania stara, źle widząca,
krasnoludki też postrąca!

A więc nie płacz, mój malutki,
niech śpią sobie krasnoludki,

niech śpią sobie z Panem Bogiem,
pod podłogą, popod progiem!

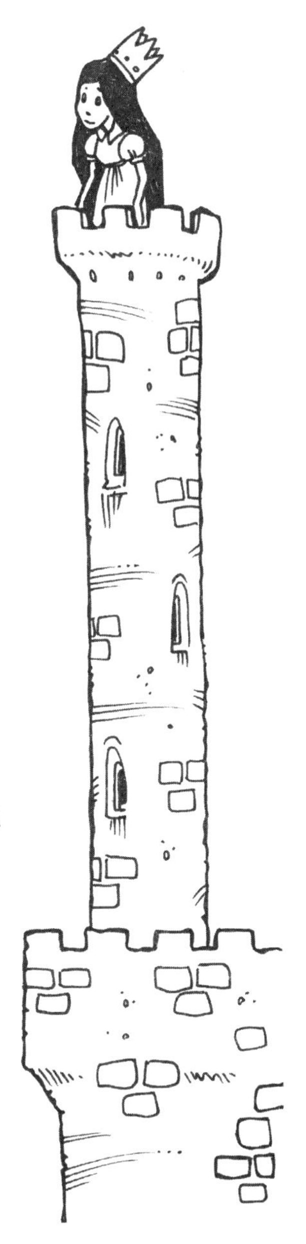

Królewna

Obudziła się królewna smutna,
obudziła się królewna nie wyspana
z samego rana.
...Płakała... płakała...
i ubierać się w koronę nie chciała.
Poszła na wieżę, na wysoką,
w dal spogląda...
Stoją cicho dworzanie,
zważają, czego zażąda!
Zeszła z wieży na dziedziniec.

A bardzo blada.
Rozkazała stangretowi:
Niechaj zakłada
do złocistej karety.
O rety!
I usiadła sama jedna w karecie.
I obwozić się kazała po świecie.
Jadą, jadą
dzień cały,
rok,
dwieście,
aż przywieźli ją, gdzie trzeba,
nareszcie.
Wyszedł rycerz naprzeciw królewnie:
— Do mnie jedziesz? Najmilejsza!
— A pewnie!
Stangret konie wyprzęga z karety,
rycerz wierność przysięga królewnie.
O rety!

Szedł Czarodziej

Szedł Czarodziej przez rzeczkę,
zgubił złotą laseczkę,
a z nią wszystkie swe czary,
co ich miał tam do pary!
Stanął smutny nad rzeką,

łzy po brodzie mu cieką.
Każdy teraz się dowie,
że to w lasce są czary,
a on sobie — pan stary,
jak ci wszyscy zwyczajni panowie...

Zamiast słuchać bajek

Zamiast słuchać bajek
mówionych wieczorem,
chodź ze mną tą dróżką,
co biegnie pod borem.
Zaprowadzę ciebie
do takiego miasta,
gdzie są domy z cukru,
a ulice z ciasta!
Zaprowadzę ciebie
w taki kraj daleki,
gdzie mlekiem i miodem
płyną wszystkie rzeki.
Zaprowadzę ciebie
do takiej księżniczki,
co ma własny zamek
i złote trzewiczki!
Jeśli będziesz grzeczny,
przed zamkiem na błoniu
pozwoli ci jeździć
na prawdziwym koniu!

SPIS TREŚCI

SREBRNY DESZCZYK

WIATR POLNY

SZARA GODZINA

ŚNIEGOWE PIÓRKA

IGIEŁKA ZE ZŁOTYM USZKIEM

ZWIERZĄTKA PIOTRUSIA

WIERSZYKI RENI

ZŁOTY JEŻ

WYDAWNICTWO ZIELONA SOWA Sp. z o.o.
30-415 Kraków, ul. Wadowicka 8 A
tel./fax (0-12) 266-62-94, tel. (0-12) 266-67-98, 266-67-56, 266-62-92

Aktualna oferta wydawnicza i cennik na stronie:
www.zielonasowa.pl

Księgarnia Humanistyczna Wydawnictwa Zielona Sowa Sp. z o.o.
31-004 Kraków, Plac Wszystkich Świętych 7, tel. (0-12) 421-09-85